Descubre el español con Santillana

B

CUADERNO DE PRÁCTICA

SANTILLANA USA
Language Education Experts

Published in the United States of America.

Descubre el español con Santillana
Cuaderno de práctica Level B
ISBN-13: 978-1-61605-593-6
ISBN-10: 161605593-6

Editorial Staff
Contributing Writers: Dina Rivera and Sandra Angulo
Senior Project Editor: Patricia Acosta
Developmental Editors: Jennifer Carlson and Andrea Sánchez
Editorial Director: Mario Castro
Design Manager: Mónica R. Candelas Torres
Head Designer: Francisco Flores
Design and Layout: Anayeli Caraballo and Salvador Henández
Image and Photo Research Editor: Mónica Delgado de Patrucco
Cover Design and Layout: Studio Montage

Acknowledgments:
Illustrations: Emi Ordás

Santillana USA Publishing Company, Inc.
2023 NW 84th Avenue, Doral, FL 33122
www.santillanausa.com

Published in The United States of America
Printed in Canada by Marquis
22 21 20 19 18   1 2 3 4 5 6 7 8 9

Índice

Unidad 1 — Nos conocemos

Unidad 2 — ¿Cómo vivimos?

Unidad 3 — Vamos a aprender

Unidad 4 — Los animales

Índice

Unidad 5
Nos cuidamos

Unidad 6
Nuestro ambiente

Unidad 7
Las profesiones

Unidad 8
Nuestras celebraciones

Nombre _____ Fecha _____

▶ Lee las pistas. Completa el crucigrama.

⋮ Yo   amiga   gusto   Hola   Adiós ⋮

1.    Mucho _____.

2.    ¡_____!

3.    _____ me llamo Tony.

4.    ¡Hola, _____!

5.    ¡_____!

Nombre _____ Fecha _____

A. Escribe *Hola* o *Adiós*.

> ¡Hola!   ¡Adiós!

1.

_____
\- \- \- \- \- \- \- \- \- \- \- \- \- \- \-
_____

2.

_____
\- \- \- \- \- \- \- \- \- \- \- \- \- \- \-
_____

B. Escoge la frase u oración correcta.

1.

Es mi amigo Diego.

¡Hola!

¡Adiós, amigo!

2.

¡Adiós!

Es mi amigo Diego.

Mucho gusto.

Nombre _____ Fecha _____

A. Une.

1.

¡Buenas tardes!

2.

¡Buenos días!

3.

¡Buenas noches!

B. Escribe *¡Buenos días!* o *¡Buenas noches!*

1.

_____

2.

_____

Nombre _____ Fecha _____

▶ Ordena y escribe.

amigos Hola

_____ _____
¡ Hola , amigos !

llamas te Cómo tú

_____ _____ _____ _____
¿ _____ ?

llamo Yo Clara me

_____ _____ _____ _____
_____ .

gusto Mucho

_____ _____
¡ _____ !

amigos Adiós

_____ _____
¡ _____ , _____ !

Nombre _____ Fecha _____

A. Escoge la primera letra de cada palabra.

avión	(a) e i o u
estrella	a e i o u
imán	a e i o u
oso	a e i o u
uvas	a e i o u

B. Escribe la primera letra de cada palabra.

amigos	elefante	isla	ojo	uña
a				

Nombre _____ Fecha _____

A. Observa los dibujos. Escribe *Primero*, *Después* y *Por último*.

| Primero | Después | Por último |

_____

_____

_____

B. Escoge la frase u oración correcta.

1.

¡Mucho gusto!

¿Cómo te llamas tú?

¡Adiós, amigo!

2.

¿Cómo te llamas tú?

Es mi amigo Tony.

Yo me llamo Franklin.

Nombre _____ Fecha _____

▶ Busca las palabras.

familia	playa
hermano	pelota
abuela	toalla

```
            i  t  p
            m  o  e
 □ a  n  o □ a  a  l
 y  h  e  r  s  e  p  o  a
 a  e  t  e  n  l  l  a  p
 f  l  r  a  m  i  o  a  b  e
 a  p  m  r  a  y  t  y  u  l
 m  f  a  m  i  l  i  a  e  o
 l  i  n  f  o  t  a  l  l  t
 t  t  o  a  l  l  a  c  a  a
```

Nombre _____ Fecha _____

A. Completa las oraciones.

¿ ? .

1. ¿Cómo te llamas☐

2. ☐Qué tiene tu papá☐

3. Mi papá tiene los juguetes☐

4. Hola, amigo☐

5. Mucho gusto☐

B. Corrige las oraciones.

1. ¿cómo te llamas?   ¿Cómo te llamas?

2. yo me llamo María

3. ¿qué tiene tu hermano?

4. adiós, amigo.

Nombre _____ Fecha _____

A. Corrige las oraciones.

1. leo es el papá de maría.

_____
- -
_____

2. su mamá es ana.

_____
- -
_____

3. el hermano de maría es ramón.

_____
- -
_____

B. Completa las oraciones.

1. Yo me llamo _____.

2. Mi amigo se llama _____.

Nombre _____ Fecha _____

▶ Lee las pistas. Completa el crucigrama.

Nosotros   bonitas   Yo   festival   Ustedes

1.  _____ cantamos en un festival.

2. Las flores son _____ .

3. _____ _____ tengo unas flores.

4. _____ El _____ es divertido.

5. _____ _____ son buenos amigos.

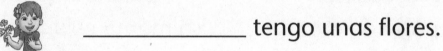

Nombre _____ Fecha _____

▶ Lee. Completa las oraciones.

 Yo soy una niña.

 Tú eres mi amigo.

 Ella es mi amiga.

 Ellos son mis amigos.

 ¡Nosotros somos amigos!

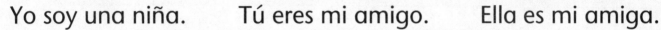

soy   somos   es   eres   son

1. Yo _____ un niño.

2. Tú _____ mi amiga.

3. Tony _____ mi amigo.

4. Ellas _____ mis amigas.

5. ¡Nosotros _____ amigos!

Nombre _____ Fecha _____

▶ Completa las oraciones. Dibuja un festival en tu comunidad.

| bonita   divertido |

De: _____   Enviar

Para: _____   Asunto: _____   Verdana ▾ 10 ▾ **N** *K* <u>S</u> ≡ ≡ ≡

Mis carpetas

Bandeja de entrada

Bandeja de salida

Elementos enviados

Elementos eliminados

Correo no deseado

¡Hola, Lisa!

_____

El festival en mi comunidad es _____ .

_____

Mi comunidad es _____ .

Adiós,

_____

_____

Nombre _____ Fecha _____

▶ Escoge.

1. Es la  . Saluda a un amigo.

   a. Buenos días.

   b. Buenas tardes.

   c. Buenas noches.

   d. ¡Adiós!

2. Despídete de un amigo.

   a. Adiós, amigo.

   b. Mucho gusto.

   c. ¡Hola!

   d. Es mi amigo Diego.

3. Ella es _____ de María.

   a. el amigo

   b. el papá

   c. el hermano

   d. la abuela

4. Empieza con la letra _____.

   a. a

   b. i

   c. e

   d. u

Nombre _____ Fecha _____

5. Mi abuela tiene _____ .

   a. la toalla

   b. la pelota

   c. el juguete

   d. la playa

6. El hermano de María se llama _____ .

   a. ramón

   b. RAmón

   c. Ramón

   d. RAMÓN

7. Ellos _____ amigos.

   a. somos

   b. son

   c. eres

   d. soy

8. Las flores son _____ .

   a. buena

   b. buenos

   c. divertido

   d. bonitas

Nombre _____ Fecha _____

▶ Lee las pistas. Completa el crucigrama.

casa   apartamento   señor   señora   padres

1.  Héctor vive en una _____.

2. Ella es la _____ López.

3. Él es el _____ López.

4. Tony y Lisa viven en un _____.

5. Ellos son mis _____.

Nombre _____ Fecha _____

A. Escribe *casa* o *apartamento*.

1.

_____
- - - - - - - - - - - - -
_____

2.

_____
- - - - - - - - - - - - -
_____

B. Escoge la palabra correcta.

1.

a. abuelo

b. señor

c. señora

d. hermano

2.

a. nido

b. dormitorio

c. baño

d. apartamento

3.

a. telaraña

b. baño

c. dormitorio

d. casa

Nombre _____ Fecha _____

A. Une.

1.

comedor

2.

cocina

3.

sala

B. Escribe *sala, comedor* o *cocina*.

1.

_____
- - - - - - - - - - - - - -
_____

2.

_____
- - - - - - - - - - - - - -
_____

3.

_____
- - - - - - - - - - - - - -
_____

Nombre _____ Fecha _____

A. Encierra en un ○ círculo el dibujo correcto.

1. las frutas

2. las verduras

3. el arroz

4. las flores

B. Completa las oraciones.

Me gusta   Me gustan

No me gusta   No me gustan

1. _____ las frutas.

2. _____ las verduras.

3. _____ el arroz.

4. _____ la flor.

Nombre _____ Fecha _____

A. Encierra en un ◯ círculo las vocales.

1. fr(u)t(a)s

2. casa

3. pelota

4. papá

5. niña

6. amigos

B. Completa. Escribe las vocales.

1. n_i_ñ_o_

2. ___rr___z

3. v___r d___r___s

4.  m___n z___n___

Nombre _____ Fecha _____

A. Escoge la palabra correcta.

	piña azúcar agua
	agua azúcar piña
	piña agua azúcar

B. Une.

una

dos

tres

C. Completa.

1. Me gusta _____ .

2. No me gusta _____ .

3. Me gustan _____ .

4. No me gustan _____ .

Nombre _____ Fecha _____

Lee las pistas. Completa el crucigrama.

tienda   ropa   camiseta   falda   zapatos

1. Yo compro la _____ blanca.

2. Vamos de compras a la _____.

3. Me gusta comprar _____.

4. Me gusta comprar _____.

5. Me gusta la _____ blanca.

Nombre _____ Fecha _____

▶ Lee las pistas. Colorea la ropa.

1. La camiseta es azul.

2. El vestido es negro.

3. Los zapatos son rojos.

4. El pantalón es verde.

5. La blusa es blanca.

6. La falda es amarilla.

Nombre _____ Fecha _____

A. Escoge la oración correcta.

1. (Me gusta el azul.)   Me gusta el azul!

2. Es mi color favorito!   ¡Es mi color favorito!

3. Te gusta la falda verde   ¿Te gusta la falda verde?

4. ¡Es horrible!   ¡Es horrible

B. Dibújate con tu ropa. Colorea.

C. Contesta.

1. ¿De qué color es tu ropa?

   Mi _____ es _____.

2. ¿De qué color son tus zapatos?

   Mis zapatos son _____.

Nombre _____ Fecha _____

▶ Identifica los lugares. Escribe los nombres.

> la panadería   la juguetería
>
> el supermercado   la plaza   la casa

1.

_____
`la plaza`

2.

_____

3.

_____

4.

_____

5.

_____

▶ Completa.

estoy   está   estamos

_____
¿Dónde __está__ Héctor?

_____
Él _____ en la juguetería.

1.

¿Dónde estás, mamá?

_____
Yo _____ en la cocina.

2.

¿Dónde están ustedes?

_____
Nosotros _____ en el parque.

3.

Nombre _____ Fecha _____

▶ Lee. Encierra en un ○ círculo el dibujo correcto.

1. La calle es larga.

2. La falda es corta.

3. La casa es pequeña.

4. La camiseta es grande.

5. La niña es pequeña.

6. El carro es largo.

Nombre _____ Fecha _____

► Escoge.

1. El señor vive en _____.

   a. una casa

   b. un supermercado

   c. un nido

   d. un apartamento

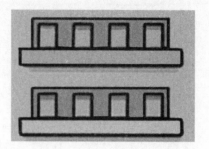

2. Ella es la _____ López.

   a. padre

   b. señora

   c. señor

   d. niño

3. Los niños están en _____.

   a. el baño

   b. el dormitorio

   c. la cocina

   d. el comedor

4. Me gusta comer _____.

   a. verduras

   b. arroz

   c. flores

   d. frutas

5. Yo _____ en la sala.

   a. estamos

   b. estoy

   c. está

   d. estás

6. Yo compro una falda en _____.

   a. la juguetería

   b. la panadería

   c. la tienda de ropa

   d. el mercado de frutas

7. La señora compra _____.

   a. el vestido

   b. los zapatos

   c. la falda

   d. la camiseta

8. Los colores son _____.

   a. sala, cocina, baño

   b. rojo, verde, blanco

   c. casa, apartamento, parque

   d. arroz, agua, verduras

Nombre _____ Fecha _____

▶ Lee las pistas. Completa el crucigrama.

| maestra | escuela | crayones | libros | lápiz |

1. Yo tengo tres _____.

2. Yo tengo un _____.

3. Ella es la _____.

4. Esta es mi _____.

5. ¿Qué _____tienes tú?

4.		1. c			2.			3.
		r						
		a						
		y		5.				
		o						
		n						
		e						
		s						

Nombre _____ Fecha _____

A. Completa y une.

l_u_nes   domingo

m___rtes   miércoles

j___eves   jueves

m___ércoles   sábado

sábad___   martes

vi___rnes   →   lunes

d___mingo   viernes

B. Ordena y escribe los días de la semana.

1. __domingo__   5. _____

2. _____   6. _____

3. _____   7. _____

4. _____

Nombre _____ Fecha _____

A. Completa.

| domingo | martes | sábado |

1.

Los días del fin de semana son

_____ _____

_____ y _____.

Los niños no van a la escuela.

2.

_____

Hoy es _____.

Yo voy a la escuela.

B. Escoge la oración correcta.

1.

a. El lunes los niños van
   a la escuela.

b. En el fin de semana los
   niños van a la escuela.

2.

a. Lisa tiene un libro.

b. Lisa tiene un lápiz.

Nombre _____ Fecha _____

A. Encierra en un ◯ círculo el dibujo correcto.

1. Los niños saltan la cuerda.

2. Los niños juegan juegos de mesa.

B. ¿Qué juegas tú en la escuela? ¡Dibújate!

_____

Yo _____ .

Nombre _____ Fecha _____

A. Completa. Escribe *l, m* o *p*.

1.

É___ ___ee un

___ibro.

2.

La señora ___aría

es ___i ___aestra.

3.

Mi ___a___á

come ___iña.

4.

___isa tiene un

___ápiz.

5.

La ___elota está

en el ___atio.

6.

Hoy es ___unes.

Yo ___eo ___ibros.

Nombre _____ Fecha _____

A. Completa.

| juego | juegas | juegan |

1. Yo _____ a las escondidas.

2. Los niños _____ fútbol.

3. ¿Qué _____ tú?

B. Une.

1. Los niños juegan damas.

2. Los niños juegan fútbol.

3. Los niños juegan ajedrez.

4. Los niños juegan a las escondidas.

5. Los niños juegan al luche.

Nombre _____ Fecha _____

A. Completa. Escribe *Es* o *Son*.

¿Qué hora es?

1. _____ la una.

2. _____ las tres.

3. _____ las dos.

B. Observa y completa.

8:00

1. Son las _____ ocho _____.
   Los niños van a la escuela.

2:00

2. Son las _____.
   Los niños juegan.

10:00

3. Son las _____.
   Los niños estudian español.

1:00

4. Es la _____.
   Los niños estudian ciencias.

Nombre _____ Fecha _____

▶ Completa.

siete   tres   doce   una   nueve   cinco

7:00

Son las __siete__.

1:00

Es la _____.

3:00

Son las _____.

12:00

Son las _____.

9:00

Son las _____.

5:00

Son las _____.

Nombre _____ Fecha _____

A. Identifica los lugares. Escribe los nombres.

| el patio   la cafetería   la biblioteca   la escuela |

1. __la escuela__

2. _____

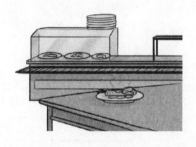

3. _____

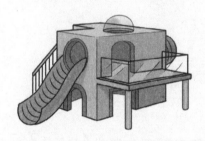

4. _____

B. Completa. Escribe *por la mañana* o *por la tarde*.

1. Yo voy a la escuela __por la mañana__ .

2. Yo voy al patio _____ .

3. Yo voy a la cafetería _____ .

4. Yo voy a la casa _____ .

Nombre _____ Fecha _____

A. Lee. Escoge el dibujo correcto.

1. La niña estudia ciencias.

2. Yo estudio arte.

B. ¿Qué estudia Mario? Completa.

7:00	8:00	9:00
inglés	matemáticas	español

1. A las ocho Mario estudia ___matemáticas___ .

2. A las siete Mario estudia _____ .

3. A las nueve Mario estudia _____ .

Nombre _____ Fecha _____

A. Escoge la palabra correcta.

1.

Yo (tengo / tiene)
unas tijeras.

2.

Ellas (tienes / tienen)
diez crayones.

3.

Nosotros (tienes /
tenemos) dos lápices.

4.

Él (tiene / tengo)
cuatro libros.

B. Contesta.

1.

¿Qué tiene la maestra?

Ella tiene _____.

2.

¿Qué tienen ellos?

Ellos tienen _____.

3. ¿Qué tienes tú? Yo tengo _____.

Nombre _____ Fecha _____

A. Completa. Escribe *divertido* o *aburrido*.

1.

Jugar al luche es

_____

- - .

2.

Jugar al luche es

_____

- -

B. Completa. Escribe *fácil* o *difícil*.

1.

Tocar la guitarra es

_____

- - .

2.

Tocar la guitarra es

_____

- -

▶ Escoge.

1. Los días de la semana son...
   a. rojo, verde, amarillo, azul y blanco.
   b. uno, dos, tres, cuatro y cinco.
   c. lunes, martes, miércoles, jueves y viernes.
   d. música, matemáticas, ciencias, inglés y español.

2. Me gusta jugar...
   a. ajedrez.
   b. a las escondidas.
   c. al luche.
   d. fútbol.

3. Es...
   a. un lápiz.
   b. un libro.
   c. un crayón.
   d. unas tijeras.

4. Ella es...
   a. el maestro.
   b. la maestra.
   c. la escuela.
   d. la cuerda.

5. ¿Qué hora es?

   a. Es la una.

   b. Son las diez.

   c. Son las dos.

   d. Son las doce.

6. a. Voy a la biblioteca.

   b. Voy al salón de clase.

   c. Voy al patio.

   d. Voy a la cafetería.

7. En la escuela yo estudio...

   a. lápices y libros.

   b. la cafetería y el patio.

   c. matemáticas y ciencias.

   d. fútbol y ajedrez.

8. Pilar _____ un juego de mesa.

   a. tengo

   b. tiene

   c. tienes

   d. tienen

Nombre _____ Fecha _____

▶ Lee las pistas. Completa el crucigrama.

1.

pez

2.

mascotas

3.

gato

4.

pájaro

5.

perro

Nombre _____ Fecha _____

A. Lee y colorea.

1. un pájaro azul

2. un gato negro

3. un perro marrón.

4. un pez amarillo.

B. Escoge.

1.

a. El gato es más pequeño que el perro.
b. El perro es más pequeño que el gato.

2.

a. El pájaro es más pequeño que el pez.
b. El pájaro es más grande que el pez.

3.

a. El pájaro es mas grande que el gato.
b. El gato es mas grande que el pájaro.

Nombre _____ Fecha _____

A. Une.

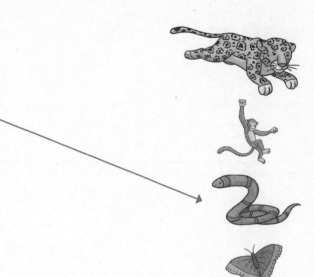

1. La culebra es larga.

2. El jaguar es grande.

3. La mariposa es bonita.

4. El mono es pequeño.

B. Escribe los nombres de los animales.

| el jaguar | la tarántula | el mono |
| la mariposa | el loro | la culebra |

1.

la culebra

2.

_____

3.

_____

4.

_____

5.

_____

6.

_____

Nombre _____ Fecha _____

A. Une.

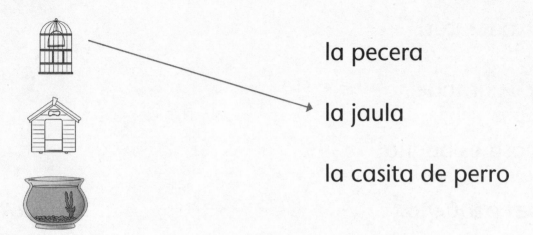

la pecera

la jaula

la casita de perro

B. ¿Dónde viven los animales? Completa.

1. El pez _____ vive _____
   en la _____ .

2. El perro _____ en
   la _____ de perro.

3. El pájaro _____
   en la _____ .

Nombre _____ Fecha _____

A. Encierra en un ○ círculo las letras *j* y *r*.

1. l a (j) i (r) a f a   4. e l c a n g u r o

2. e l c o n e j o   5. l a a r a ñ a

3. e l t o r o   6. e l p á j a r o

B. Completa.

> araña   canguro   toro
>
> jirafa   conejo

1. El __toro__ es grande.

2. La _____ es más

pequeña que el _____.

3. La _____ es más

grande que el perro.

4. El _____ juega

con el niño.

Nombre _____ Fecha _____

▶ Observa la tabla y contesta.

Los hogares de las mascotas

1. ¿Cuántos peces viven en la pecera?

   _____5_____ peces viven en la pecera.

2. ¿ Cuántos perros viven en la casita de perros?

   _____ perros viven en la casita de perros.

3. ¿Cuántos pájaros viven en la jaula?

   _____ pájaros viven en la jaula.

4. ¿Cuántas mascotas viven en la casa?

   _____ mascotas viven en la casa.

Nombre _____ Fecha _____

A. Une.

1. nada

2. camina

3. salta

4. corre

5. vuela

B. Completa.

1.  El perro _____ corre _____ .

2.  El pájaro _____ .

3.  El conejo _____ .

4.  El gato _____ .

5.  El pez _____ .

Nombre _____ Fecha _____

▶ Ordena y escribe.

1. | Las | vuelan. | mariposas |

Las mariposas vuelan.

2. | nadan. | peces | Los |

_____

3. | saltan. | Los | perros |

_____

4. | gatos | corren. | Los |

_____

5. | camina. | tortuga | La |

_____

Nombre _____ Fecha _____

A. Escribe los nombres de los animales.

| el loro | la iguana | la tortuga |
| el jaguar | la rana | el mono |

1. <u>el loro</u>

2. _____

3. _____

4. _____

5. _____

6. _____

B. Escribe *salta*, *vuela* o *camina*.

1.  La iguana <u>camina</u>.

2.  El loro _____.

3. La tortuga _____.

4. La rana _____.

Nombre _____ Fecha _____

▶ Identifica y completa.

| alas   cola |
| patas   orejas   aletas |

1. El pájaro tiene dos
_____
- - - - - - - - - - - - - - - - .

2. El gato tiene dos
_____
- - - - - - - - - - - - - - - - .

3. El perro tiene cuatro
_____
- - - - - - - - - - - - - - - - .

4. El pez tiene cuatro
_____
- - - - - - - - - - - - - - - - .

5. El perro, el gato, el pájaro y el
_____
pez tienen una - - - - - - - - - - - - - - - .

Nombre _____ Fecha _____

A. Completa.

| una | dos | cuatro | ocho |

1. El perro tiene
_____
_____ patas.

2. El gato tiene
_____
_____ cola.

3. El pájaro tiene
_____
_____ alas.

4. La araña tiene
_____
_____ patas.

B. Escoge la palabra correcta.

1. La tortuga es (rápida / lenta).

2. El tigre es (rápido / lento).

3. Los perros son (rápidos / lentos).

4. Los gatos son (rápidos / lentos).

Nombre _____ Fecha _____

▶ Dibuja y colorea a tu animal favorito.
Completa la información.

Nombre:

Color:

Hogar:

Tiene:

¿Cómo se mueve?:

Nombre _____ Fecha _____

▶ Escoge.

1. El pájaro vive en _____ .

   a. la casita
   b. la jaula
   c. la pecera
   d. la casa

2. El pez _____ .

   a. vuela
   b. camina
   c. corre
   d. nada

3. Es un _____ .

   a. mono
   b. iguana
   c. rana
   d. jaguar

4. Tiene dos alas y una cola.

   a.   b.   c.   d.

Nombre _____ Fecha _____

5. La tortuga es _____.

   a. rápida

   b. lenta

   c. rápido

   d. lento

6. El pez vive en _____.

   a. la jaula

   b. la casa

   c. la casita

   d. la pecera

7. El loro es _____ que el mono.

   a. más grande

   b. más pequeño

   c. grande

   d. pequeño

8. Tiene cuatro patas y dos orejas.

   a.    b.   c.    d.

Nombre _____ Fecha _____

▶ Observa las pistas. Completa el crucigrama.

1. Gracias por la _____ .

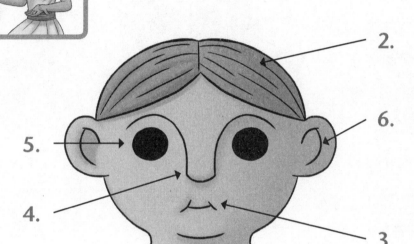

2.

6.

5.

4.

3.

1.			

nariz

boca

ojo

oreja

cabeza

muñeca

Nombre _____ Fecha _____

A. Identifica y escribe.

| pierna | brazo | pie | mano |

1. _ _ _ _ _ _ _ _ _

2. _ _ _ _ _ _ _ _ _

3. _ _ _ _ _ _ _ _ _

4. _ _ _ _ _ _ _ _ _

B. Cuenta y completa.

1. La muñeca tiene _ _ _ 2 _ _ _ brazos.

2. La muñeca tiene _ _ _ _ _ _ _ dedos en cada mano.

3. La muñeca tiene _ _ _ _ _ _ _ nariz.

4. La muñeca tiene _ _ _ _ _ _ _ piernas.

Nombre _____ Fecha _____

▶ Observa el dibujo. Escoge la palabra correcta.

1. Ésta es mi...

   a. mano.
   b. pie.
   c. (cabeza.)
   d. dedo.

2. Ésta es mi...

   a. boca.
   b. mano.
   c. nariz.
   d. pierna.

3. Éstas son mis...

   a. ojos.
   b. orejas.
   c. pies.
   d. cabeza.

4. Éstas son mis...

   a. piernas.
   b. pies.
   c. orejas.
   d. brazos.

Nombre _____ Fecha _____

A. Une.

1.

2.

3.

Me duele la pierna.

Yo soy la doctora.

Me siento bien.

B. Completa. Escribe *bien* o *mal*.

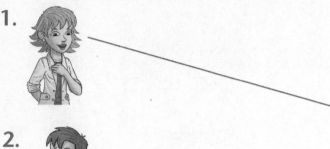

1. Me siento __mal__.

2. Me siento _____.

3. Me siento _____.

4. Me siento _____.
¡Ya no me duele la pierna!

Nombre _____ Fecha _____

A. Completa. Escribe *ba, be, bi, bo* o *bu*.

1. ___ ba ___ ño   2. _____ rro   3. _____ bé

4. _____ te   5. _____ gote

B. Completa. Escribe *da, de, di, do* o *du*.

1. _____ do   2. _____ lor   3. _____ do

4. _____ cha   5. _____ nero

Nombre _____ Fecha _____

A. Completa.

piernas   brazo   dedos   cabeza   mano

1. Me duele la
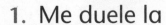
___cabeza___.

2. Me duelen las
_____.

3. Me duele la
_____.

4. Me duelen los
_____.

5. Me duele el
_____.

B. Escoge la palabra correcta.

1. Me (duele / duelen) el dedo.
2. Me (duele / duelen) los pies.
3. Me (duele / duelen) los ojos.
4. Me (duele / duelen) la mano.

Nombre _____ Fecha _____

A. Ordena y completa.

| correr | ejercicios | saltar |

lartas

rorerc

1. Me gusta _____saltar_____.   2. Me gusta _____.

joriceiecs

3. Hacer _____ es divertido.

B. Completa.

1.   Me gusta _____.

2.   Me gusta hacer _____.

3.   Me gusta _____.

Nombre _____ Fecha _____

A. Identifica y escribe.

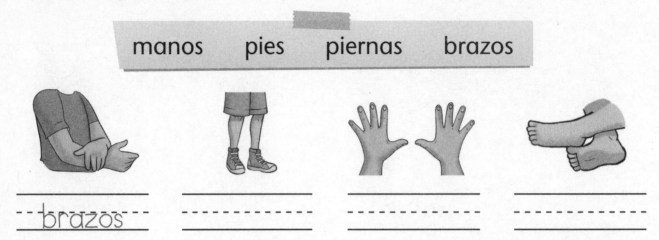

manos   pies   piernas   brazos

brazos   _ _ _ _ _ _ _   _ _ _ _ _ _ _   _ _ _ _ _ _ _

B. Une.

1. Yo salto con mis piernas.

2. Yo nado con mis brazos.

3. Yo camino con mis pies.

Nombre _____ Fecha _____

A. Completa.

> tenis   karate   yoga   béisbol

1. Me gusta practicar

   ----
   béisbol .

2. Me gusta practicar

   _____ .

3. Me gusta practicar

   _____ .

4. Me gusta practicar

   _____ .

B. Completa.

> yoga   karate   béisbol   tenis   fútbol

1. Me gusta practicar

   _____ .

2. No me gusta practicar

   _____ .

Nombre _____ Fecha _____

A. Identifica y completa.

| tenedor | cuchara | cuchillo | pollo | helado |

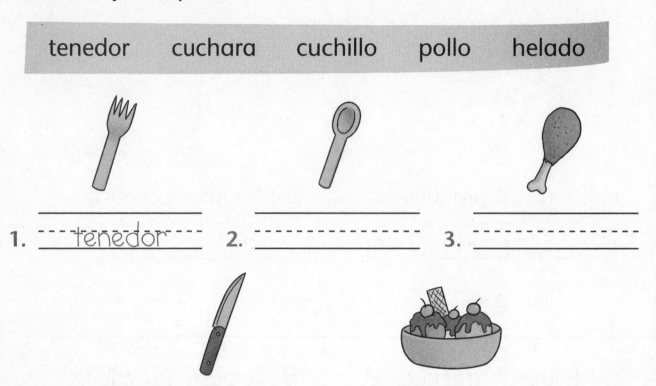

1. ___tenedor___   2. _____   3. _____

4. _____   5. _____

B. Escoge.

1. Yo como helado con (un cuchillo / una cuchara).

2. Yo como pollo con (un tenedor / una cuchara).

C. Completa.

1. En el restaurante yo como _____.

2. En la casa yo como _____.

Nombre _____ Fecha _____

A. Observa el dibujo. Escoge.

1.

   a. la pasta
   b. la fruta

2.

   a. la sopa
   b. el yogur

3.

   a. la pasta
   b. las frutas

4.

   a. el chocolate
   b. el yogur

5.

   a. el pescado
   b. la hamburguesa

6.

   a. la sopa
   b. el chocolate

B. Escoge la palabra correcta.

1. Me (gusta / gustan) la pizza.
2. No me (gusta / gustan) la sopa.
3. No me (gusta / gustan) las verduras.
4. Me (gusta / gustan) las frutas.

C. Contesta.

1. ¿Te gusta el pescado? _____

2. ¿Te gustan las hamburguesas? _____

Nombre _____ Fecha _____

A. Une.

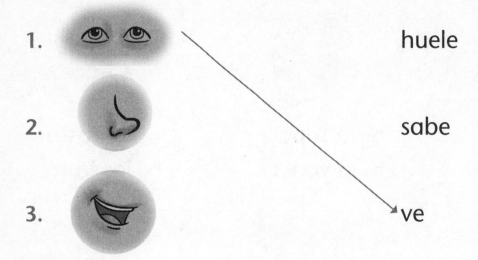

1.   huele

2.   sabe

3.   ve

B. Completa.

| ve   huele   sabe |

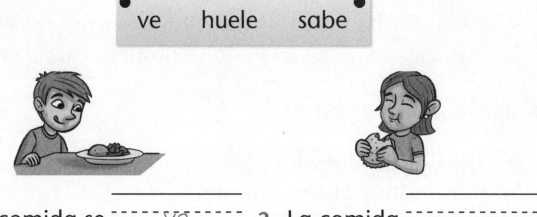

1. La comida se ___ve___ deliciosa.

2. La comida _____ sabrosa.

3. La comida _____ bien.

Nombre _____ Fecha _____

▶ Escoge.

1. a. Ésta es mi nariz.
   b. Ésta es mi boca.
   c. Éste es mi ojo.
   d. Ésta es mi oreja.

2. La muñeca tiene...
   a. dos piernas.
   b. un brazo.
   c. un pie.
   d. dos cabezas.

3. a. Me duele el brazo.
   b. Me duele la pierna.
   c. Me siento bien.
   d. Me duele la mano.

4. a. Me gusta practicar tenis.
   b. Me gusta saltar.
   c. Me gusta nadar.
   d. Me gusta correr.

5. a. Me gusta practicar karate.

   b. Me gusta practicar béisbol.

   c. Me gusta caminar.

   d. Me gusta practicar yoga.

6. a. Yo como verduras.

   b. Yo como hamburguesa.

   c. Yo como pescado.

   d. Yo como arroz.

7. Yo como el yogur con _____.

   a. un cuchillo

   b. un tenedor

   c. una cuchara

   d. una hamburguesa

8. ¡_____ las frutas!

   a. Me gusta

   b. No me gusta

   c. Me gustan

   d. Me duelen

Nombre _____ Fecha _____

▶ Observa las pistas. Completa el crucigrama.

| viajamos | bicicleta | avión | carro | tren | bus |

1. Nosotros _____ por España. Viajamos en...

2.

5.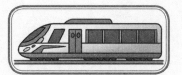

3.

6.

4.

Nombre _____ Fecha _____

A. Une.

1.

2.

3.

4.

El tren viaja por la vía.

El carro viaja por la calle.

El barco viaja por el agua.

El avión viaja por el aire.

B. Completa.

vía   agua   calle   aire

1. El barco viaja por el _____.

2. El tren viaja por la _____.

3. El avión viaja por el _____.

4. La bicicleta viaja por la _____.

Nombre _____ Fecha _____

A. Ordena las palabras. Escribe las oraciones.

1. Madrid por viajo Yo.

_____
- .

2. tren El es metro un.

_____
- .

3. personas Muchas en viajan metro el.

_____
- .

B. Completa las oraciones y los dibujos.

1. Yo viajo por mi comunidad   2. Yo viajo por el agua en

en _____ .   _____ .

Nombre _____ Fecha _____

▶ Ordena las letras. Escribe las palabras.

agosto   octubre   montaña   enero   río   mar

reeno   ñomatan
_____   _____

1. En ___enero___ , yo esquío en la _____ .

cutober   oír
_____   _____

2. En _____ , el barco viaja por el _____ .

sogota   arm
_____   _____

3. En _____ , nosotros nadamos en el _____ .

Nombre _____ Fecha _____

A. Completa con *n* o *ñ*.

___
1. la pi__ñ__a

___
2. la mu___eca

___
3. la ___ube

___
4. el ni___o

___
5. la ___ariz

___
6. el color ___egro

B. Completa con *ni*, *no*, *ña* o *ño*.

1. Los ___ños viajan en ___viembre.

2. La se ___ra esquía en la monta___.

Nombre _____ Fecha _____

A. Completa el calendario con los meses del año.

septiembre	diciembre	noviembre
octubre	febrero	agosto
enero	marzo	mayo
abril	julio	junio

Calendario

1. _____
2. _____
3. _____
4. _____
5. _____
6. _____
7. _____
8. _____
9. _____
10. _____
11. _____
12. _____

B. Escoge.

1. Me gusta jugar en (el aire / el parque).
2. En julio y agosto yo nado en (la nieve / la piscina).
3. En noviembre yo salto en (las hojas / las nubes) de colores.
4. En febrero yo esquío en (la nieve / la piscina).

Nombre _____ Fecha _____

A. Une.

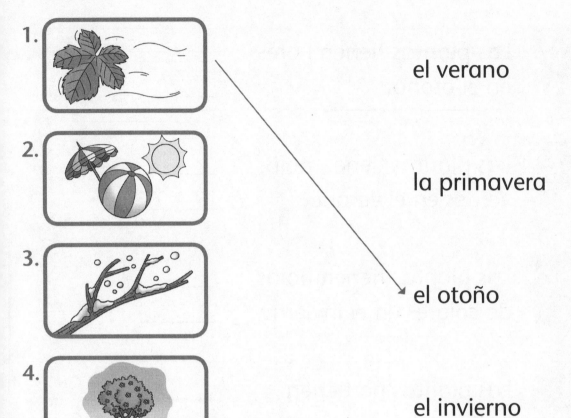

1. el verano

2. la primavera

3. el otoño

4. el invierno

B. Identifica y escribe.

invierno   verano

1. Es _____.

2. Es _____.

Nombre _____ Fecha _____

A. Lee. Escribe *sí* o *no*.

1. Las plantas tienen flores en el otoño. _____

2. Las plantas tienen hojas verdes en el verano. _____

3. Las plantas tienen hojas de colores en el invierno. _____

4. Las plantas no tienen hojas en la primavera. _____

B. Completa.

| primavera | verano | otoño | invierno |

1. Me gusta jugar con la nieve en el _____.

2. Me gusta ver las flores en la _____.

3. Me gusta jugar con las hojas en el _____.

4. Me gusta nadar en el mar en el _____.

Nombre _____ Fecha _____

A. Une.

1.

marzo, abril y mayo

2.

septiembre, octubre y noviembre

3.

junio, julio y agosto

4.

diciembre, enero y febrero

B. Completa. Dibújate.

Mi estación favorita es _____ .

Me gusta _____ .

Nombre _____ Fecha _____

▶ Lee las pistas. Completa el crucigrama.

> lluvioso   soleado   nublado   tiempo   frío   calor

1. ¿Qué _____ hace?

2. 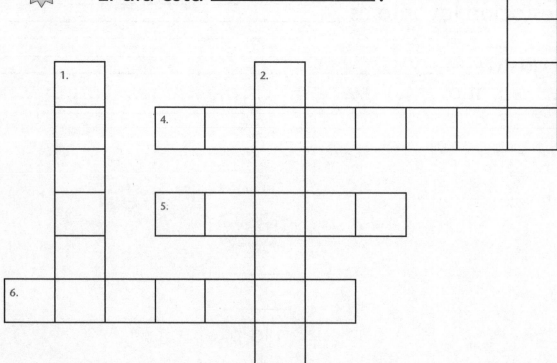 El día está _____ .

3. Hace _____ .

4. El día está _____ .

5. Hace _____ .

6. El día está _____ .

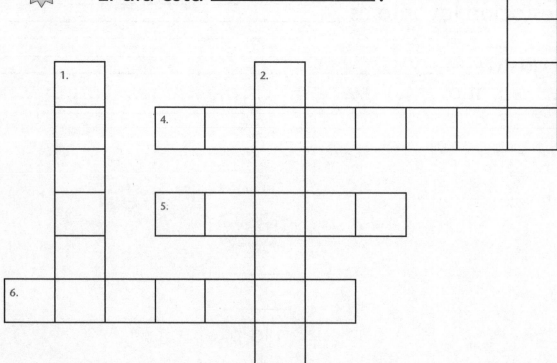

Nombre _____ Fecha _____

▶ Completa.

| vamos | voy | va | vas | van |

1. Ella ___va___ a jugar en la casa.

2. Nosotros _____ a jugar en la nieve.

3. Yo _____ a jugar en el patio.

4. Tú _____ a jugar en el parque.

5. Ustedes _____ a jugar en la playa.

Nombre _____ Fecha _____

A. Completa con los días de la semana.

lunes	martes	_ _ _ _	_ _ _ _	_ _ _ _

B. Completa. Escribe *lluvioso, soleado* o *nublado*.

 El martes, el día está _____ soleado _____.

 El viernes, el día está _____.

 El miércoles, el día está _____.

 El jueves, el día está _____.

C. Contesta.

1. ¿En qué estación hace calor? _____.

2. ¿En qué estación hace frío? _____.

3. ¿Qué mes es lluvioso? _____.

Nombre _____ Fecha _____

▶ Escoge.

1. El bus viaja por _____.

   a. la vía

   b. la calle

   c. el agua

   d. el aire

2. Los meses de otoño son

   a. junio, julio y agosto.

   b. marzo, abril y mayo.

   c. septiembre, octubre y noviembre.

   d. diciembre, enero y febrero.

3. Nosotros vamos a nadar en _____.

   a. el mar

   b. el río

   c. la nieve

   d. la piscina

4. a. El día está lluvioso.

   b. El día está soleado.

   c. El día está nublado.

   d. Hace frío.

Nombre _____ Fecha _____

5. La niña _____.

    a. nada en el río

    b. esquía en la montaña

    c. viaja en tren

    d. camina por la calle

6. Yo viajo en _____.

    a. carro

    b. tren

    c. bicicleta

    d. avión

7. a. Es invierno.

    b. Es verano.

    c. Es primavera.

    d. Es otoño.

8. Ella _____ a jugar tenis.

    a. vas

    b. voy

    c. van

    d. va

Nombre _____ Fecha _____

▶ Observa las pistas. Completa el crucigrama.

┌───┐
│ profesiones   policía   doctora   cocinero   pintor   músico │
└───┘

1. Policía, doctora, cocinero, pintor y músico son...

2.    3.   4.

5.    6.

Nombre _____ Fecha _____

A. Completa con *Él* o *Élla*.

1. __Ella__ es policía.

2. _____ es músico.

3. _____ es pintor.

4. _____ es cocinera.

B. Escribe qué profesional es.

1. Ella es
_____
_____.

2. Ella es
_____
_____.

3. Él es
_____
_____.

Nombre _____ Fecha _____

A. Une.

1.

2.

3.

4.

5.

policía

doctora

músico

cocinero

pintor

B. Completa.

1. Mi amiga va a ser _____doctora_____.

2. Mi amigo va a ser _____.

3. Yo voy a ser _____.

Nombre _____ Fecha _____

A. Une.

1.

2.

3.

4.

ayuda

cuida

cocina

pinta

B. Completa.

1. El pintor _____pinta_____ un cuadro.

2. La doctora _____ a los niños.

3. La policía _____ a los niños.

4. El cocinero _____ una sopa.

Nombre _____ Fecha _____

▶ Completa.

1. | ca   cu   co |

a.

___
‾c‾a‾misa

b.

___
‾ ‾ ‾ ‾ ‾cinero

c.

___
‾ ‾ ‾ ‾ ‾chillo

2. | ce   ci |

a.

___
‾ ‾ ‾ ‾ ‾real

b.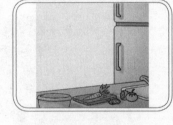

___
co‾ ‾ ‾ ‾ ‾na

3. | que   qui |

a.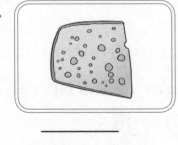

___ ___
‾ ‾ ‾ ‾ ‾ ‾ ‾so

b.

___ ___
mante‾ ‾ ‾ ‾ ‾ ‾ ‾lla

Nombre _____ Fecha _____

A. Identifica y escribe.

| veterinario | maestra | músico | policía |

1.

_____

2.

_____

3.

_____

4.

_____

B. Escoge.

1. Yo soy músico. Yo (ayudo / toco) un instrumento.
2. Yo soy veterinaria. Yo (cuido / enseño) a los animales.
3. Yo soy maestra. Yo (enseño / pinto) inglés.

Nombre _____ Fecha _____

▶ Observa las pistas. Completa el crucigrama.

ingeniero   computadora   silbato   pincel   cuchillo

1.

2.

3.

4.

5.

Nombre _____ Fecha _____

A. Completa.

| pegamento | crayones | regla | tijeras |

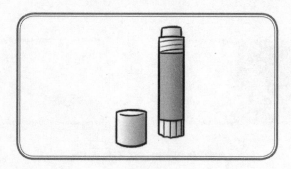

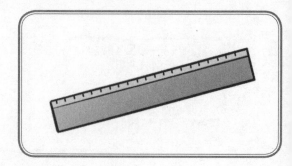

1. Yo uso

   pegamento en la escuela.

2. Lisa usa una

   _____.

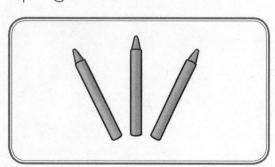

3. Tony usa unos

   _____.

4. Yo uso unas

   _____.

B. Escoge.

1. (El / La) cocinera usa un cuchillo.
2. (El / La) pintor usa un pincel.
3. ¿Qué (uso / usa) el ingeniero?
4. Yo (uso / usa) un lápiz para escribir.

Nombre _____ Fecha _____

A. Escoge las palabras similares en español y en inglés.

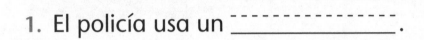

computadora   cámara   tijeras   guitarra

B. Observa los dibujos. Completa.

1. El policía usa un _____.

2. El músico usa una _____.

3. El ingeniero usa una _____.

4. El fotógrafo usa una _____.

C. Completa.

1. Yo soy _____.

Yo uso una _____.

2. Yo soy _____.

Yo uso una _____.

Nombre _____ Fecha _____

A. Identifica los lugares. Escribe los nombres.

estación	hospital	estudio	oficina

1. ___hospital___

2. _____ de arte

3. _____ de policía

4. _____

B. Une.

1. La doctora trabaja   a. en un estudio de arte.

2. El pintor trabaja   b. en una oficina.

3. El ingeniero trabaja   c. en un hospital.

Nombre _____ Fecha _____

A. Completa.

| trabaja | trabajas |
| trabajamos | trabajo | trabajan |

1. Nosotros _trabajamos_ en una estación de policía.

2. Él _____ en un restaurante.

3. Ellos _____ en un teatro.

4. Yo _____ en una oficina.

5. Tú _____ en un hospital.

B. Contesta.

1. ¿Dónde trabaja el músico?

   _____
   _____.

2. ¿Dónde trabajan los policías?

   _____
   _____
   _____
   _____.

Descubre el español con Santillana B © Santillana USA

Nombre _____ Fecha _____

A. Clasifica. Completa la tabla.

pintor   policía   silbato
cuchillo   restaurante   oficina   pincel

profesión	herramienta	lugar de trabajo
cocinera		
		estudio de arte
		estación de policía
ingeniero	computadora	

B. Imagina que eres un profesional. Completa tu tarjeta.

Nombre: _____

Profesión: _____

Herramienta: _____

Trabajo: _____

Lugar de trabajo: _____

Nombre _____ Fecha _____

▶ Escoge.

1. La doctora _____ a los enfermos.
   a. pinta
   b. cocina
   c. cuida
   d. trabaja

2. Es un _____ .
   a. cuadro
   b. crayón
   c. silbato
   d. pincel

3. Ellos son _____ .
   a. músicos
   b. cocineros
   c. policías
   d. doctores

4. Yo soy _____ . Yo cuido a los animales.
   a. cocinera
   b. maestro
   c. veterinario
   d. policía

Nombre _____ Fecha _____

5. Yo _____ en un restaurante.

    a. trabaja

    b. trabajas

    c. trabajo

    d. trabajamos

6. El cocinero usa _____ .

    a. un carro

    b. una guitarra

    c. un cuchillo

    d. una regla

7. Ella es _____ .

    a. maestra

    b. maestro

    c. veterinaria

    d. músico

8. El pintor trabaja en _____ de arte.

    a. una oficina

    b. un estudio

    c. un teatro

    d. un hospital

Nombre _____ Fecha _____

▶ Lee las pistas. Completa el crucigrama.

cumpleaños   piñata   globos   pastel   fiesta   gorro

1. El _____ es bonito.

2. Mi familia prepara una _____ .

3. Los _____ son rojos.

4. La _____ es grande.

5. Voy a celebrar mi _____ .

6. Mi _____ es amarillo.

Nombre _____ Fecha _____

A. Identifica y escribe.

| invitaciones | piñata | pastel | velas |

1.

‑‑‑‑‑‑‑‑‑ velas ‑‑‑‑‑‑‑‑‑

2.

3.

4.

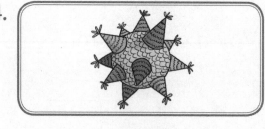

B. Ordena. Escribe.

1. cumpleaños Hoy mi es

¡_____!

2. globos rojos son Los

_____.

3. gorros a comprar Voy

_____.

Nombre _____ Fecha _____

A. Une.

1.

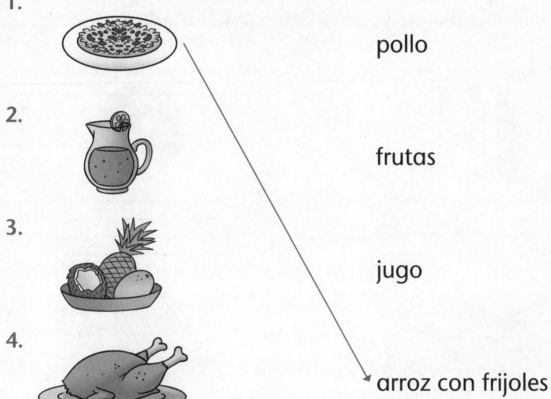

pollo

2.

frutas

3.

jugo

4.

arroz con frijoles

B. Completa con *comer* o *beber*.

1. Vamos a __comer__ frutas.

2. Vamos a _____ jugo.

3. Vamos a _____ arroz con frijoles.

4. Vamos a _____ leche.

5. Vamos a _____ pastel.

Nombre _____ Fecha _____

A. Identifica y escribe.

baile   velas   regalos   feliz

1.

----- velas -----

2.

_____

3.

_____

4.

_____

B. Escoge.

1. La música es (vela / (alegre)).
2. Yo tengo siete (años / bailes).
3. Mi pastel tiene siete (años / velas).
4. ¡Yo estoy (regalo / feliz)!

Nombre _____ Fecha _____

A. Completa.

| cha | che | chi | cho | chu |

1. le<u>che</u>

2. _____queta

3. _____co

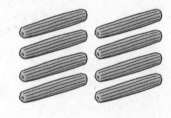

4. o_____ _____rros

B. Completa.

| lla | lle | lli | llo |

1. La bicicleta amari_____ está en la ca_____.

2. El ga_____ y la ga_____na comen.

Nombre _____ Fecha _____

▶ Cuenta y completa.

1	2	3	4	5	6
una	dos	tres	cuatro	cinco	seis

una piñata

_____ crayones

_____ muñecas

_____ carros

_____ barcos

_____ chocolates

Nombre _____ Fecha _____

A. Identifica y escribe.

| carnaval | tren | disfraces | desfile |

1.

‎_ _ _ _ _ _carnaval_ _ _ _ _ _ _

2.

‎_ _ _ _ _ _ _ _ _ _ _ _ _ _ _ _

3.

‎_ _ _ _ _ _ _ _ _ _ _ _ _ _ _ _

4.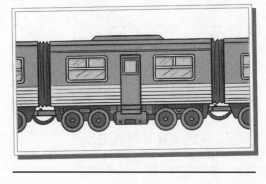

‎_ _ _ _ _ _ _ _ _ _ _ _ _ _ _ _

B. Escoge.

1. En Cuba celebran el (carnaval / tren).
2. Los niños usan (desfiles / disfraces).
3. En el desfile, los niños (tienen / bailan).
4. Los niños también (viajan / tocan) música.

Nombre _____ Fecha _____

A. Escoge.

1.

a. (el cabezón)
b. los cabezones

2.

a. el instrumento
b. los instrumentos

3.

a. el disfraz
b. los disfraces

4.

a. la máscara
b. las máscaras

B. Completa.

1. ¡Los cabezones son muy grandes⬜!

2. ⬜Qué instrumentos tocan los músicos?

3. Yo tengo un disfraz bonito⬜

4. ¿Te gusta el carnaval⬜

5. ⬜El carnaval es muy alegre!

Nombre _____ Fecha _____

A. Completa.

| Cuba | Miami | bailes | música | celebran |

En la ciudad de _____, en Estados Unidos, las personas

_____ el Carnaval de la Calle Ocho. El carnaval tiene

música, desfiles y _____. En la ciudad de Santiago,

en _____, las personas celebran el Carnaval de Santiago.

El carnaval tiene _____, desfiles y bailes.

B. Lee. Contesta.

Hoy celebramos el carnaval en mi escuela.
Primero tenemos un desfile. Después
tenemos un baile. ¡Es un carnaval alegre!

1. ¿Qué celebran los niños en la escuela?

   a. un cumpleaños   b. un carnaval

2. ¿Qué tienen primero?

   a. un baile   b. un desfile

3. ¿Cómo es la celebración?

   a. alegre   b. aburrida

Nombre _____ Fecha _____

▶ Lee las pistas. Completa el crucigrama.

| tres | bongós | maracas | tocar | cubana | congas |

1. Me gusta la música _____.

2. ¿Qué instrumentos vamos a _____?

3.  Lisa va a tocar los _____.

4. Alina va a tocar las _____.

5. Tony va a tocar las _____.

6. Yo voy a tocar el _____.

Nombre _____ Fecha _____

A. Observa el dibujo. Escoge.

1. Tocar las maracas es (fácil / difícil).

2. Estoy (feliz / triste).

3. Bailar es (divertido/ aburrido).

B. Completa con *comer*, *beber* o *tocar*.

1. Nosotros vamos a __tocar__ música cubana.

2. ¿Vas a _____ pastel?

3. Yo voy a _____ jugo.

4. Lisa va a _____ los bongós.

Nombre _____ Fecha _____

A. Completa la carta.

| toco | congas | cubana | tocan | feliz |

¡Hola, abuela!

Estoy en una celebración divertida. Los músicos _____

instrumentos como el tres, las _____ y los bongós.

¡Yo _____ las maracas!

Ahora vamos a bailar música _____.

Me gusta la fiesta. ¡Estoy muy _____!

Adiós, Tony.

B. Contesta.

1. ¿Qué quieres tocar, los bongós o el tres? _____.

2. ¿Qué te gusta, bailar o cantar? _____.

3. ¿Cómo son los desfiles, divertidos o aburridos?

   _____

   _____.

Nombre _____ Fecha _____

▶ Escoge.

1. Andrés tiene...

   a. un desfile.

   b. una fiesta de cumpleaños.

   c. un disfraz.

   d. un carnaval.

2. El pastel tiene siete _____.

   a. gorros

   b. globos

   c. velas

   d. piñatas

3. Tony va a comer _____.

   a. pastel

   b. fruta

   c. arroz con frijoles

   d. pollo

4. ¿Cuántos chocolates tiene la piñata?

   a. tres

   b. cuatro

   c. cinco

   d. seis

5. a. el regalo

   b. los regalo

   c. el regalos

   d. los regalos

6. a. los disfraces

   b. los cabezones

   c. los bongós

   d. los desfiles

7. a. Quién está triste.

   b. Quién está triste!

   c. ¿Quién está triste?

   d. Quién está triste?

8. Yo voy a _____ las maracas.

   a. comer

   b. beber

   c. tocar

   d. bailar

Organizadores gráficos

Nombre: _____ Fecha: _____

Hoja de actividad 1   **Tabla de 2 columnas**

Nombre: _____ Fecha: _____

Descubre el español con Santillana B © Santillana USA

Nombre: _____ Fecha: _____

Nombre: _____ Fecha: _____

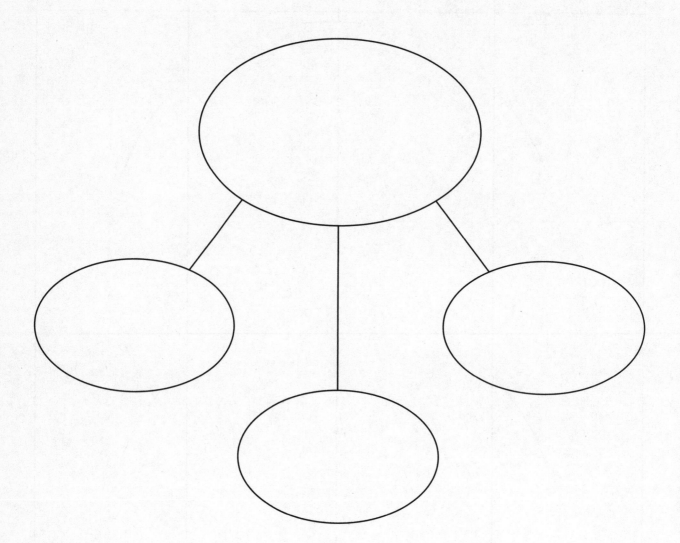

Nombre: _____ Fecha: _____

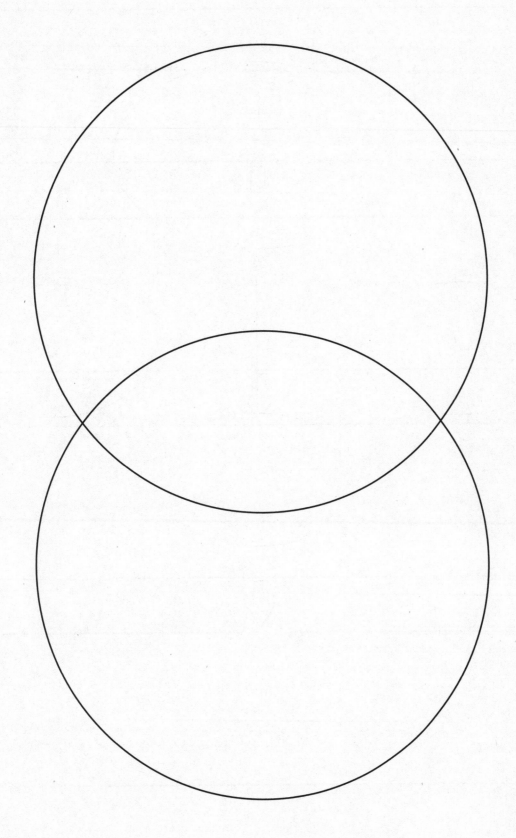

Nombre: _____ Fecha: _____

```
┌─────────────────────────────────────────────┐
│                                             │
│                                             │
│                                             │
│                                             │
└─────────────────────────────────────────────┘
                      ⬇
┌─────────────────────────────────────────────┐
│                                             │
│                                             │
│                                             │
│                                             │
└─────────────────────────────────────────────┘
                      ⬇
┌─────────────────────────────────────────────┐
│                                             │
│                                             │
│                                             │
│                                             │
└─────────────────────────────────────────────┘
                      ⬇
┌─────────────────────────────────────────────┐
│                                             │
│                                             │
│                                             │
│                                             │
└─────────────────────────────────────────────┘
```

Nombre: _____ Fecha: _____

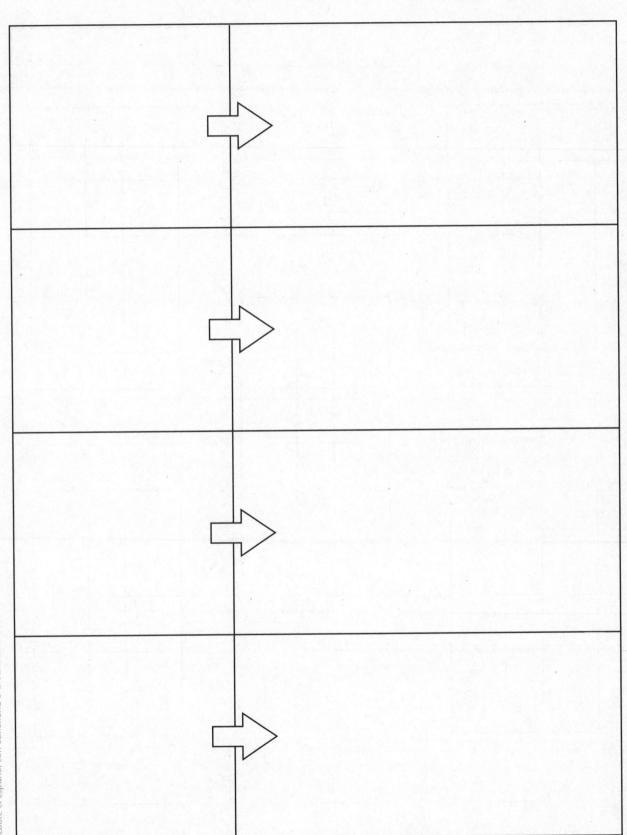

Causa y efecto

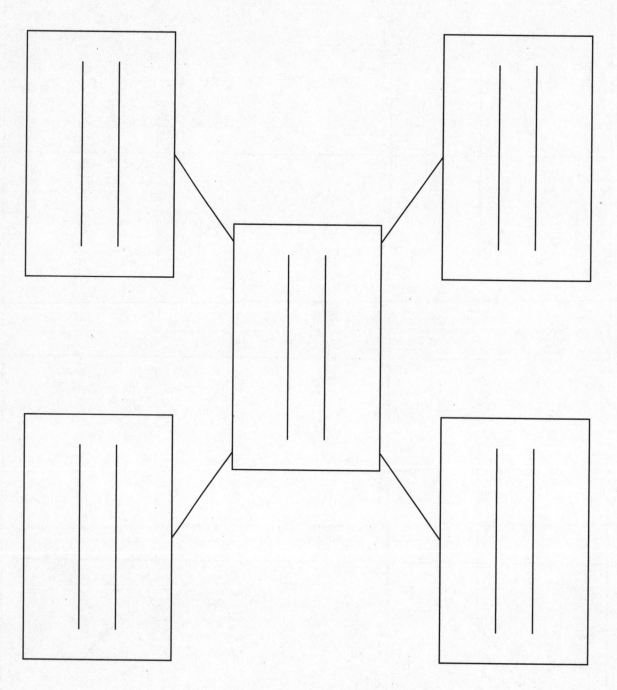